Peppa va de excursión

BEASCOA

Peppa y su familia han ido de excursión.

-No te olvides de llevar la cena -dice Mamá
a Papá Pig.

-Como si se me fuera a olvidar -ríe Papá Pig.

Con la ayuda de un mapa, se dirigen al camino principal.
¡Oh, vaya! Papá Pig dejó la cena en el coche.

—Peppa, ¿ves algo interesante? —pregunta Papá Pig.

—Sólo árboles... —suspira Peppa, aburrida.

Pero entonces ve unas huellas en el camino.

-Sigámoslas -propone Mamá Pig-.
Así descubriremos de qué animal son.

-Tenemos que ser muy silenciosos
para no asustar a los animales. ¡Chist!

Peppa y George siguen las huellas
a lo largo del camino.
-Creo que son de pájaro -dice
Mamá Pig.

Poco después, las huellas se acaban.
-El pájaro ha volado hacia lo alto
de ese árbol -sonríe Papá Pig.

-¿Dónde? -pregunta Peppa.
Papá Pig le da unos binoculares
para que pueda verlo.

-¡Oinc! -grita George señalando otras huellas.

Son diminutas.

-Son huellas de hormiga -dice Papá Pig-.

Están recogiendo hojas para comer.

—Este mapa está mal —gruñe Papá Pig—.
Vamos a tener que seguir nuestras propias
huellas para poder regresar al coche.

De repente, empieza a llover.

-¡La lluvia borra nuestras huellas! -dice Peppa.

-Y ahora, ¿cómo volveremos al coche?

-pregunta Mamá Pig, preocupada.

¡Cuac, cuac!

¡Cuac, cuac!

—A los patos les encanta cenar —dice Peppa—. Seguro que la Señora Pata nos ayuda a encontrar nuestra cena.

Los patos guían a Peppa y su familia
hasta el coche.

-Lo hemos conseguido. Muchas gracias,
Señora Pata -sonríe Peppa.

—¡Adoro las cenas al aire libre! —ríe Papá Pig.
A los patos también les gustan. ¡Cuac, cuac!
Y a los pájaros. ¡Pío! ¡Pío!

Y también a las hormigas. ¡Ñam, ñam!
-A todo el mundo le encantan las cenas
en el bosque -afirma Peppa.